Saimono katinas

Simon Tofield

leidykla
trigrama
kaunas

UDK 741(410)
To-21

Versta iš leidinio:
Simon Tofield
SIMON'S CAT
IN HIS VERY OWN BOOK

ISBN 978-9955-477-15-0

Mamai

Dėkodamas Tau už viską skiriu šią knygelę

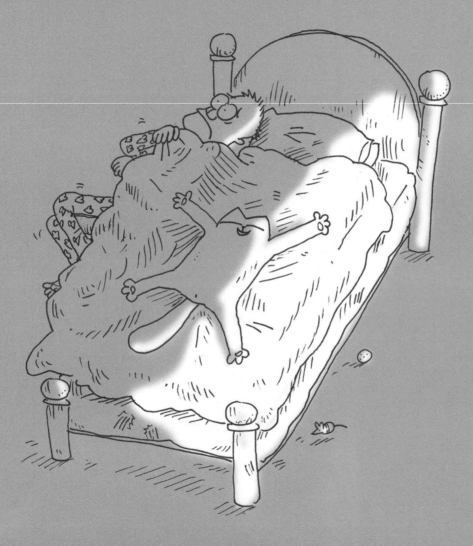

Dzilin Dzilin

Dzilin

77

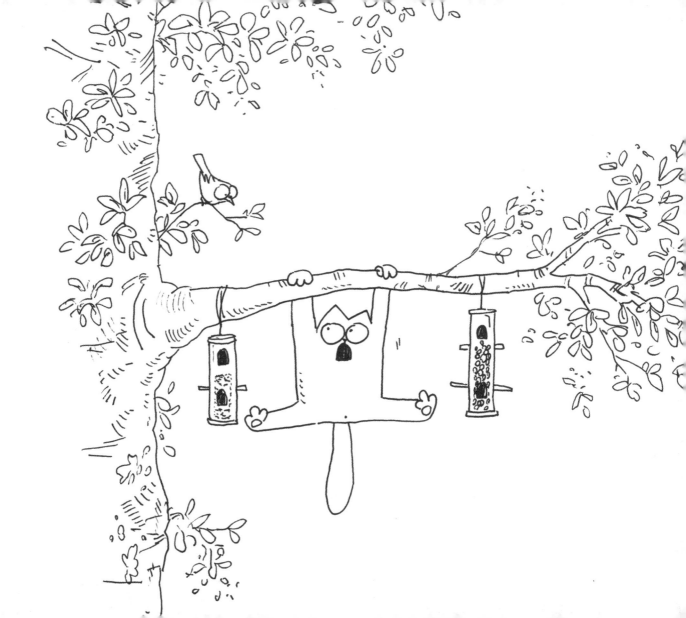

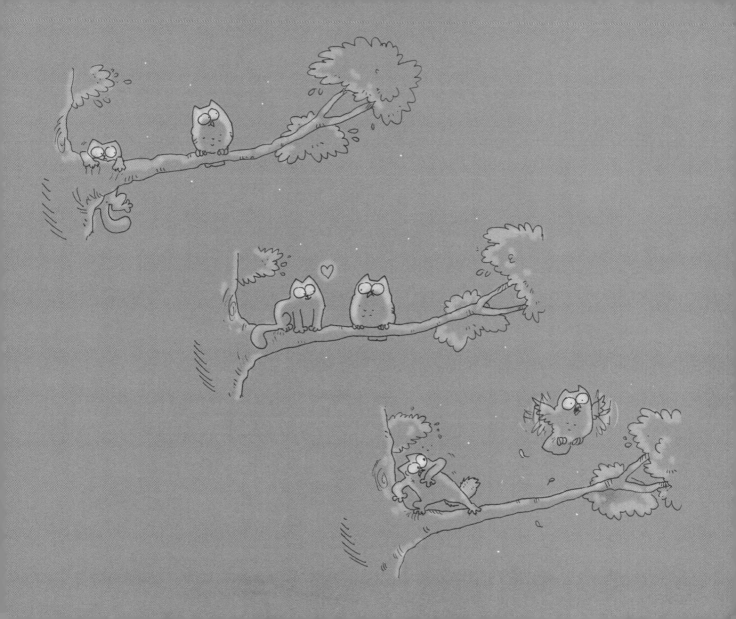